幼小衔接阶梯教程

上海元远教育　主编

每日
五分钟

口算 ｜ 心算 ｜ 速算 ⑤

100以内加减法

同济大学 出版社
TONGJI UNIVERSITY PRESS

❶ 60以内的加法（一）

23 + 31 = （　　）

16 + 35 = （　　）

5 + 46 = （　　）

54 + 5 = （　　）

30 + 30 = （　　）

42 + 16 = （　　）

20 + 34 = （　　）

41 + 13 = （　　）

8 + 35 = （　　）

❷ 60以内的加法（二）

（　　）+ 6 = 58

18 + （　　）= 49

（　　）+ 34 = 52

17 + （　　）= 31

（　　）+ 4 = 53

33 + （　　）= 57

完成时间：_____ 分钟

家长 / 老师评一评：☆☆☆☆☆

❸ 60以内的加法（三）

(   ) + 35 = 51

19 + (   ) = 54

(   ) + 16 = 43

27 + (   ) = 56

(   ) + 29 = 59

43 + (   ) = 60

❹ 60以内的减法（一）

59 − 14 = (   )

51 − 2 = (   )

55 − 3 = (   )

57 − 28 = (   )

56 − 33 = (   )

53 − 45 = (   )

52 − 36 = (   )

54 − 23 = (   )

45 − 14 = (   )

⑤ 60以内的减法（二）

57 − （　　） = 6

52 − （　　） = 32

55 − （　　） = 24

53 − （　　） = 45

54 − （　　） = 31

51 − （　　） = 10

⑥ 60以内的减法（三）

（　　） − 19 = 38

（　　） − 7 = 46

（　　） − 36 = 23

（　　） − 48 = 12

（　　） − 45 = 13

（　　） − 15 = 41

（　　） − 26 = 27

（　　） − 43 = 17

完成时间：＿＿＿＿＿＿分钟

家长／老师评一评：☆☆☆☆☆

❼ 60以内的加减法（一）

44 + 11 = （　　）

35 + 24 = （　　）

13 + 26 = （　　）

59 − 5 = （　　）

48 − 36 = （　　）

37 − 19 = （　　）

48 + 7 = （　　）

36 + 15 = （　　）

26 + 28 = （　　）

❽ 60以内的加减法（二）

41 + 13 = （　　）

34 + 23 = （　　）

15 + 33 = （　　）

57 − 5 = （　　）

59 − 16 = （　　）

49 − 37 = （　　）

17 + 37 = （　　）

25 + 35 = （　　）

48 + 8 = （　　）

家长／老师评一评：☆☆☆☆☆　　　　完成时间：_____分钟

⑨ 60以内的加减法（三）

$55 - (\quad) = 3$

$(\quad) - 8 = 51$

$19 + (\quad) = 59$

$(\quad) + 16 = 46$

$54 - (\quad) = 36$

$(\quad) - 26 = 28$

$15 + (\quad) = 52$

$(\quad) + 19 = 54$

$49 - (\quad) = 38$

⑩ 70以内的加法（一）

$32 + 31 = (\quad)$

$17 + 45 = (\quad)$

$15 + 48 = (\quad)$

$45 + 25 = (\quad)$

$41 + 20 = (\quad)$

$52 + 15 = (\quad)$

$40 + 24 = (\quad)$

$22 + 43 = (\quad)$

$9 + 45 = (\quad)$

完成时间：＿＿＿＿＿分钟

家长／老师评一评：☆ ☆ ☆ ☆ ☆

⑪ 70以内的加法（二）

（　　）+ 16 = 69

19 + （　　）= 57

（　　）+ 44 = 62

15 + （　　）= 41

（　　）+ 9 = 64

23 + （　　）= 67

⑫ 70以内的加法（三）

（26）+ 37 = 63

23 + （　　）= 64

（　　）+ 36 = 64

27 + （　　）= 66

（　　）+ 25 = 59

31 + （　　）= 70

家长 / 老师评一评：☆☆☆☆☆　　　完成时间：＿＿＿＿＿分钟　　7

⑬ 70以内的减法（一）

69 － 15 = （　　）

61 － 12 = （　　）

65 － 7 = （　　）

68 － 38 = （　　）

66 － 37 = （　　）

63 － 55 = （　　）

64 － 36 = （　　）

62 － 23 = （　　）

33 － 16 = （　　）

⑭ 70以内的减法（二）

65 － （　　） = 16

62 － （　　） = 21

67 － （　　） = 44

64 － （　　） = 55

63 － （　　） = 12

53 － （　　） = 10

完成时间：_____分钟

家长／老师评一评：☆☆☆☆☆

(   ) − 29 = 39

(   ) − 17 = 47

(   ) − 36 = 34

(   ) − 54 = 12

(   ) − 56 = 13

(   ) − 23 = 41

(   ) − 37 = 13

(   ) − 53 = 17

55 + 13 = (   )

44 + 25 = (   )

23 + 31 = (   )

68 − 15 = (   )

64 − 37 = (   )

48 − 19 = (   )

39 + 26 = (   )

45 + 15 = (   )

33 + 28 = (   )

52 ＋ 13 ＝ （　　）

11 ＋ 39 ＝ （　　）

27 ＋ 31 ＝ （　　）

68 － 29 ＝ （　　）

69 － 17 ＝ （　　）

69 － 38 ＝ （　　）

27 ＋ 36 ＝ （　　）

35 ＋ 34 ＝ （　　）

58 ＋ 6 ＝ （　　）

64 － （　　） ＝ 13

（　　） － 19 ＝ 51

28 ＋ （　　） ＝ 58

（　　） ＋ 27 ＝ 66

63 － （　　） ＝ 37

（　　） － 26 ＝ 39

28 ＋ （　　） ＝ 52

（　　） ＋ 23 ＝ 64

69 － （　　） ＝ 37

完成时间：＿＿＿＿＿分钟　　　家长 / 老师评一评：☆☆☆☆☆

⑲ 70以内的加法竖式（一）

```
    5  7
  +    9
  _____
  □  □
```

```
    3  9
  +  1  4
  _____
  □  □
```

```
    2  6
  +  3  1
  _____
  □  □
```

```
    4  3
  +  1  1
  _____
  □  □
```

```
    5  3
  +    8
  _____
  □  □
```

```
    6  7
  +    1
  _____
  □  □
```

⑳ 70以内的加法竖式（二）

```
    4  8
  +  1  4
  _____
  □  □
```

```
    1  7
  +  4  8
  _____
  □  □
```

```
    5  5
  +    8
  _____
  □  □
```

```
    5  7
  +    6
  _____
  □  □
```

```
    3  4
  +  2  9
  _____
  □  □
```

```
    4  3
  +  1  7
  _____
  □  □
```

家长 / 老师评一评：☆ ☆ ☆ ☆ ☆

完成时间：＿＿＿＿＿＿＿ 分钟

㉑ 70以内的加法竖式（三）

```
      □ □
   +  2 8
   ───────
      6 5
```

```
      □ □
   +  3 4
   ───────
      6 4
```

```
        □
   +  4 3
   ───────
      5 2
```

```
      5 5
   +  □ □
   ───────
      6 8
```

```
      2 8
   +  □ □
   ───────
      6 3
```

```
      1 7
   +  □ □
   ───────
      5 5
```

㉒ 70以内的减法竖式（一）

```
      6 3
   -  2 6
   ───────
      □ □
```

```
      6 5
   -  1 5
   ───────
      □ □
```

```
      5 4
   -  3 7
   ───────
      □ □
```

```
      6 1
   -  2 8
   ───────
      □ □
```

```
      5 9
   -  2 5
   ───────
      □ □
```

```
      6 7
   -  3 4
   ───────
      □ □
```

完成时间：_____分钟

家长 / 老师评一评：☆☆☆☆☆

㉓ 70以内的减法竖式（二）

```
    5 2              6 5
 -  2 3           -  2 1
  ┌──┬──┐           ┌──┬──┐
  │  │  │           │  │  │
  └──┴──┘           └──┴──┘


    4 1              6 3
 -  2 8           -  1 7
  ┌──┬──┐           ┌──┬──┐
  │  │  │           │  │  │
  └──┴──┘           └──┴──┘


    6 7              6 9
 -  3 6           -  2 5
  ┌──┬──┐           ┌──┬──┐
  │  │  │           │  │  │
  └──┴──┘           └──┴──┘
```

㉔ 70以内的减法竖式（三）

```
  ┌──┬──┐           ┌──┬──┐
  │  │  │           │  │  │
  └──┴──┘           └──┴──┘
 -  3 5           -  1 3
    2 9              4 8


  ┌──┬──┐              6 4
  │  │  │           -  ┌──┬──┐
  └──┴──┘              │  │  │
 -  2 2              └──┴──┘
    2 7                2 6


    5 9              6 5
 -  ┌──┬──┐        -  ┌──┬──┐
    │  │  │           │  │  │
    └──┴──┘           └──┴──┘
    4 8                4 7
```

$$\begin{array}{r} 4\ 7 \\ +\ 2\ 1 \\ \hline \square\ \square \end{array}$$

$$\begin{array}{r} 4\ 5 \\ +\ 1\ 8 \\ \hline \square\ \square \end{array}$$

$$\begin{array}{r} 3\ 4 \\ +\ 2\ 2 \\ \hline \square\ \square \end{array}$$

$$\begin{array}{r} 6\ 9 \\ -\ 3\ 7 \\ \hline \square\ \square \end{array}$$

$$\begin{array}{r} 6\ 3 \\ -\ 1\ 5 \\ \hline \square\ \square \end{array}$$

$$\begin{array}{r} 5\ 5 \\ -\ \ \ 8 \\ \hline \square\ \square \end{array}$$

$$\begin{array}{r} 4\ 6 \\ +\ 1\ 4 \\ \hline \square\ \square \end{array}$$

$$\begin{array}{r} 5\ 2 \\ +\ \ \ 6 \\ \hline \square\ \square \end{array}$$

$$\begin{array}{r} 3\ 7 \\ +\ 2\ 5 \\ \hline \square\ \square \end{array}$$

$$\begin{array}{r} 6\ 5 \\ -\ 1\ 7 \\ \hline \square\ \square \end{array}$$

$$\begin{array}{r} 5\ 1 \\ -\ 1\ 3 \\ \hline \square\ \square \end{array}$$

$$\begin{array}{r} 6\ 3 \\ -\ 4\ 2 \\ \hline \square\ \square \end{array}$$

完成时间：_____分钟

家长/老师评一评：☆☆☆☆☆

27 70以内的加减法竖式（三）

```
  □ □        □ □
+ 2 6      + 5 8
―――――      ―――――
  6 5        6 3


  □ □        □ □
+ 4 5      - 1 6
―――――      ―――――
  6 0        4 3


  □ □        □ □
- 5 6      - 3 3
―――――      ―――――
    7        1 9
```

28 70以内数的分解（一）

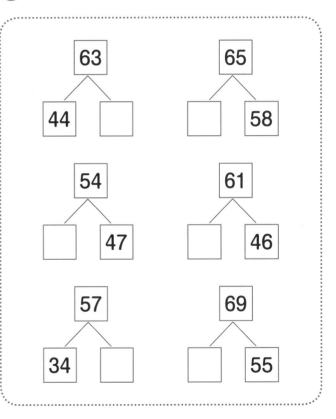

家长 / 老师评一评：☆ ☆ ☆ ☆ ☆   完成时间：＿＿＿＿＿＿分钟

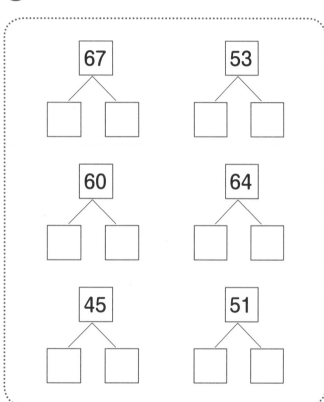

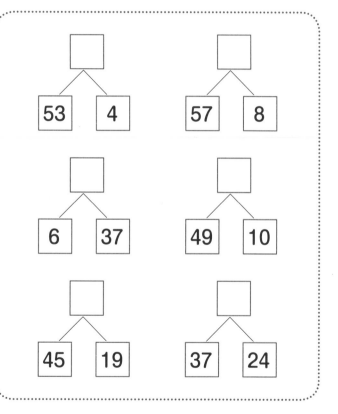

完成时间：＿＿＿＿＿分钟　　　　家长／老师评一评：☆☆☆☆☆

㉛ 70以内数的组合（一）

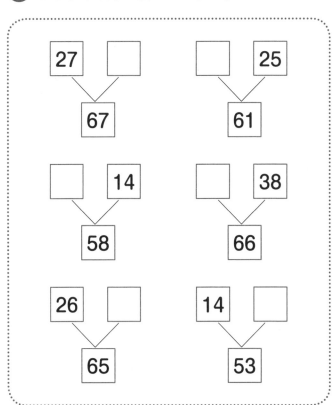

㉜ 70以内数的组合（二）

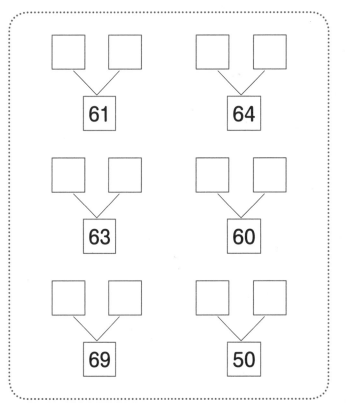

�33 70以内数的组合（三）

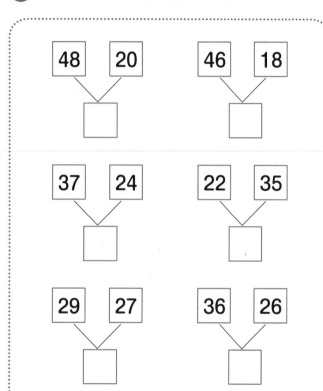

�34 70以内数的分解与组合（一）

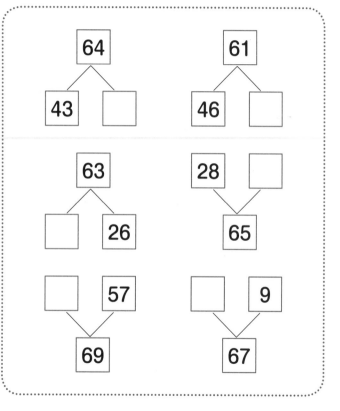

完成时间：＿＿＿＿＿＿分钟

家长／老师评一评：☆☆☆☆☆

㉟ 70以内数的分解与组合（二）　　　**㊱ 70以内数的分解与组合（三）**

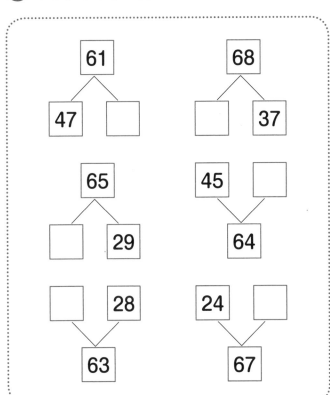
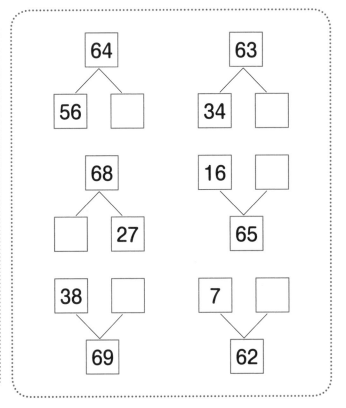

　　　完成时间：＿＿＿＿＿分钟　　　**19**

37 80以内的加法（一）

43 + 35 = （　　）

28 + 47 = （　　）

26 + 46 = （　　）

56 + 17 = （　　）

52 + 25 = （　　）

53 + 18 = （　　）

51 + 25 = （　　）

33 + 43 = （　　）

19 + 46 = （　　）

38 80以内的加法（二）

（　　）+ 27 = 79

18 + （　　）= 68

（　　）+ 53 = 77

26 + （　　）= 51

（　　）+ 19 = 73

32 + （　　）= 76

完成时间：_____分钟

家长／老师评一评：☆☆☆☆☆

㊴ 80以内的加法（三）

(   ) + 49 = 72

19 + (   ) = 75

(   ) + 26 = 74

45 + (   ) = 76

(   ) + 38 = 79

32 + (   ) = 80

㊵ 80以内的减法（一）

78 − 16 = (   )

77 − 13 = (   )

75 − 37 = (   )

79 − 28 = (   )

57 − 35 = (   )

73 − 5 = (   )

72 − 36 = (   )

75 − 53 = (   )

76 − 24 = (   )

家长 / 老师评一评：☆ ☆ ☆ ☆ ☆

完成时间：＿＿＿＿ 分钟

41 80以内的减法（二）

77 − （　　） = 15

74 − （　　） = 42

75 − （　　） = 54

72 − （　　） = 25

73 − （　　） = 11

64 − （　　） = 31

42 80以内的减法（三）

（　　） − 38 = 38

（　　） − 26 = 48

（　　） − 45 = 35

（　　） − 54 = 23

（　　） − 56 = 24

（　　） − 23 = 51

（　　） − 37 = 32

（　　） − 63 = 17

完成时间：＿＿＿＿＿＿分钟

家长 / 老师评一评：☆☆☆☆☆

43 80以内的加减法（一）

66 + 12 = （　　）

55 + 24 = （　　）

13 + 64 = （　　）

75 − 15 = （　　）

77 − 26 = （　　）

59 − 19 = （　　）

58 + 22 = （　　）

53 + 25 = （　　）

43 + 29 = （　　）

44 80以内的加减法（二）

43 + 34 = （　　）

54 + 21 = （　　）

36 + 32 = （　　）

79 − 15 = （　　）

78 − 37 = （　　）

79 − 28 = （　　）

36 + 38 = （　　）

42 + 34 = （　　）

58 + 16 = （　　）

家长／老师评一评：☆☆☆☆☆　　　　完成时间：＿＿＿＿＿分钟

45 80以内的加减法（三）

75 − （　　） = 16

（　　） − 19 = 60

29 + （　　） = 68

（　　） + 27 = 76

63 − （　　） = 27

（　　） − 36 = 38

28 + （　　） = 72

（　　） + 13 = 74

79 − （　　） = 37

46 90以内的加法（一）

46 + 43 = （　　）

39 + 47 = （　　）

36 + 46 = （　　）

67 + 16 = （　　）

62 + 25 = （　　）

63 + 26 = （　　）

73 + 15 = （　　）

33 + 53 = （　　）

28 + 46 = （　　）

完成时间：＿＿＿＿＿分钟

家长 / 老师评一评：☆☆☆☆☆

47 90以内的加法（二）

(   ) + 36 = 88

14 + (   ) = 87

(   ) + 63 = 82

35 + (   ) = 71

(   ) + 15 = 84

43 + (   ) = 86

48 90以内的加法（三）

(   ) + 59 = 85

28 + (   ) = 83

(   ) + 21 = 84

55 + (   ) = 86

(   ) + 35 = 89

34 + (   ) = 90

家长 / 老师评一评：☆☆☆☆☆

完成时间：_____分钟

87 － 19 ＝ （　　）

86 － 23 ＝ （　　）

85 － 47 ＝ （　　）

89 － 43 ＝ （　　）

81 － 15 ＝ （　　）

83 － 75 ＝ （　　）

82 － 56 ＝ （　　）

85 － 57 ＝ （　　）

88 － 15 ＝ （　　）

87 － （　　） ＝ 16

84 － （　　） ＝ 22

85 － （　　） ＝ 58

88 － （　　） ＝ 45

73 － （　　） ＝ 33

55 － （　　） ＝ 13

完成时间：＿＿＿＿＿＿＿分钟

家长／老师评一评：☆ ☆ ☆ ☆ ☆

51 90以内的减法（三）

(   ) − 49 = 33

(   ) − 36 = 47

(   ) − 54 = 36

(   ) − 44 = 43

(   ) − 57 = 32

(   ) − 24 = 53

(   ) − 47 = 32

(   ) − 73 = 16

52 90以内的加减法（一）

73 + 12 = (   )

65 + 24 = (   )

23 + 65 = (   )

85 − 16 = (   )

87 − 26 = (   )

89 − 39 = (   )

67 + 21 = (   )

64 + 25 = (   )

53 + 27 = (   )

家长 / 老师评一评：☆☆☆☆☆

完成时间：＿＿＿＿＿分钟

53 90以内的加减法（二）

54 + 33 = （　　）

61 + 26 = （　　）

47 + 33 = （　　）

89 − 16 = （　　）

88 − 47 = （　　）

89 − 58 = （　　）

47 + 36 = （　　）

54 + 34 = （　　）

6 + 82 = （　　）

54 90以内的加减法（三）

85 − （　　） = 19

（　　） − 28 = 61

37 + （　　） = 78

（　　） + 27 = 86

83 − （　　） = 17

（　　） − 37 = 48

38 + （　　） = 82

（　　） + 5 = 84

89 − （　　） = 37

完成时间：_____分钟

家长／老师评一评：☆☆☆☆☆

46 ＋ 37 ＝ （　　）

42 ＋ 49 ＝ （　　）

43 ＋ 56 ＝ （　　）

77 ＋ 15 ＝ （　　）

25 ＋ 72 ＝ （　　）

74 ＋ 26 ＝ （　　）

15 ＋ 83 ＝ （　　）

43 ＋ 52 ＝ （　　）

33 ＋ 59 ＝ （　　）

（　　）＋ 21 ＝ 97

16 ＋ （　　）＝ 96

（　　）＋ 72 ＝ 93

33 ＋ （　　）＝ 91

（　　）＋ 45 ＝ 94

23 ＋ （　　）＝ 86

家长 / 老师评一评：☆☆☆☆☆　　　完成时间：＿＿＿＿＿＿分钟　　29

57 100以内的加法（三）

(   ) + 69 = 95

48 + (   ) = 92

(   ) + 25 = 94

55 + (   ) = 96

(   ) + 25 = 99

34 + (   ) = 100

58 100以内的减法（一）

96 − 18 = (   )

91 − 12 = (   )

95 − 46 = (   )

97 − 43 = (   )

99 − 25 = (   )

93 − 86 = (   )

92 − 26 = (   )

96 − 57 = (   )

92 − 5 = (   )

完成时间：_____分钟

家长／老师评一评：☆☆☆☆☆

59 100以内的减法（二）

98 − （　） = 25

95 − （　） = 33

96 − （　） = 58

91 − （　） = 45

83 − （　） = 43

75 − （　） = 24

60 100以内的减法（三）

（　） − 48 = 47

（　） − 26 = 66

（　） − 65 = 35

（　） − 54 = 43

（　） − 65 = 32

（　） − 35 = 57

（　） − 17 = 68

（　） − 93 = 6

家长 / 老师评一评： ☆☆☆☆☆

完成时间：_____分钟

31

㉛ 100以内的加减法（一）

88 + 11 = （　　）

71 + 24 = （　　）

22 + 71 = （　　）

95 − 18 = （　　）

97 − 26 = （　　）

99 − 59 = （　　）

76 + 21 = （　　）

73 + 25 = （　　）

64 + 27 = （　　）

㉜ 100以内的加减法（二）

63 + 31 = （　　）

63 + 28 = （　　）

58 + 33 = （　　）

99 − 46 = （　　）

98 − 24 = （　　）

99 − 78 = （　　）

36 + 57 = （　　）

64 + 32 = （　　）

68 + 26 = （　　）

完成时间：_____分钟

家长／老师评一评：☆☆☆☆☆

63 100以内的加减法（三）

$$95 - (\quad) = 28$$

$$(\quad) - 28 = 71$$

$$17 + (\quad) = 98$$

$$(\quad) + 47 = 96$$

$$93 - (\quad) = 57$$

$$(\quad) - 47 = 49$$

$$35 + (\quad) = 92$$

$$(\quad) + 18 = 94$$

$$99 - (\quad) = 36$$

64 100以内的加法竖式（一）

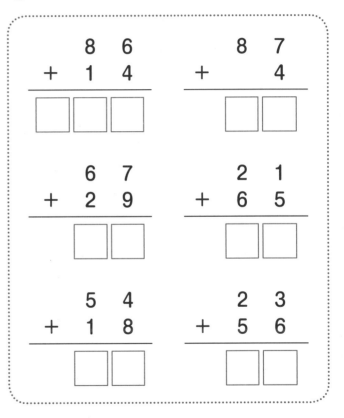

65 100以内的加法竖式（二）

```
    7 8          5 5
  + 2 1        + 2 8
  ┌─┬─┐        ┌─┬─┐
  └─┴─┘        └─┴─┘

    3 1          4 6
  + 5 3        + 3 9
  ┌─┬─┐        ┌─┬─┐
  └─┴─┘        └─┴─┘

    2 7          3 5
  + 7 1        + 3 6
  ┌─┬─┐        ┌─┬─┐
  └─┴─┘        └─┴─┘
```

66 100以内的加法竖式（三）

```
  ┌─┬─┐        ┌─┬─┐
  └─┴─┘        └─┴─┘
  + 3 8        + 4 6
  ─────        ─────
    8 9          9 3

  ┌─┬─┐          2 7
  └─┴─┘        + ┌─┬─┐
  + 6 5          └─┴─┘
  ─────        ─────
    7 2          9 4

    5 0          1 3
  + ┌─┬─┐      + ┌─┬─┐
    └─┴─┘        └─┴─┘
  ─────        ─────
    7 7          8 5
```

　　完成时间：＿＿＿＿＿＿分钟　　　　家长／老师评一评：☆☆☆☆☆

67 100以内的加法竖式（四）

```
    □ □              □ □
+   3 5          +   4 6
─────────        ─────────
    7 3              8 0


    □ □              2 7
+   5 6          +   □ □
─────────        ─────────
    9 4              9 2


    6 6              7 3
+   □ □          +   □ □
─────────        ─────────
    9 1              8 3
```

68 100以内的减法竖式（一）

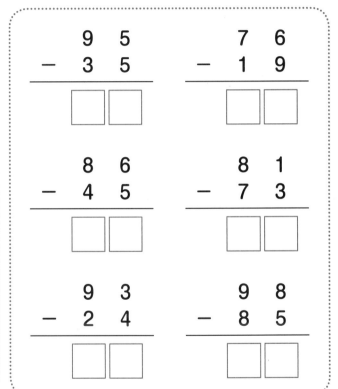

```
    9 5              7 6
-   3 5          -   1 9
─────────        ─────────
    □ □              □ □


    8 6              8 1
-   4 5          -   7 3
─────────        ─────────
    □ □              □ □


    9 3              9 8
-   2 4          -   8 5
─────────        ─────────
    □ □              □ □
```

69 100以内的减法竖式（二）

```
    8 2          9 5
  - 6 8        - 1 7
  -------      -------
  [   ]        [   ]
```

```
    9 4          9 7
  - 3 9        - 8 5
  -------      -------
  [   ]        [   ]
```

```
    7 4          8 9
  - 2 6        - 6 9
  -------      -------
  [   ]        [   ]
```

70 100以内的减法竖式（三）

```
  [  ][  ]      [  ][  ]
  -  7  3      -  6  3
  -------      -------
     2  5         2  9
```

```
  [  ][  ]       7  2
  -  7  5      - [ ][ ]
  -------      -------
     1  8         4  7
```

```
    8  4         9  5
  - [ ][ ]     - [ ][ ]
  -------      -------
     5  2         7  8
```

完成时间：_____分钟　　家长 / 老师评一评：☆☆☆☆☆

71 100以内的减法竖式（四）

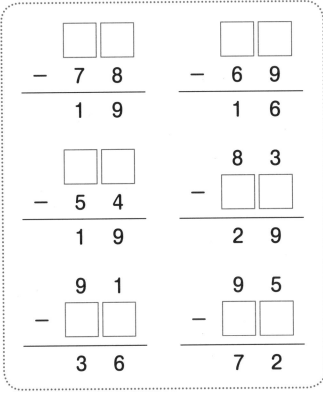

```
      □ □              □ □
  −   7 8          −   6 9
  ─────────        ─────────
      1 9              1 6


      □ □                8 3
  −   5 4          −   □ □
  ─────────        ─────────
      1 9              2 9


      9 1                9 5
  −   □ □          −   □ □
  ─────────        ─────────
      3 6              7 2
```

72 100以内的加减法竖式（一）

```
      6 4                7 7
  +   1 7          +   1 8
  ─────────        ─────────
      □ □              □ □


      4 6                9 4
  +   2 5          −   5 3
  ─────────        ─────────
      □ □              □ □


      8 2                9 5
  −   2 7          −   3 8
  ─────────        ─────────
      □ □              □ □
```

```
    7  5
 +  1  2
 ─────────
 ┌──┬──┐
 └──┴──┘
```

```
    4  2
 +  2  9
 ─────────
 ┌──┬──┐
 └──┴──┘
```

```
    3  8
 +  4  5
 ─────────
 ┌──┬──┐
 └──┴──┘
```

```
    7  4
 −  5  6
 ─────────
 ┌──┬──┐
 └──┴──┘
```

```
    9  1
 −  7  3
 ─────────
 ┌──┬──┐
 └──┴──┘
```

```
    8  3
 −  3  2
 ─────────
 ┌──┬──┐
 └──┴──┘
```

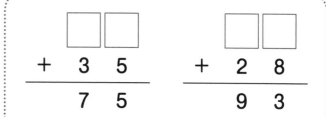

```
 ┌──┬──┐
 └──┴──┘
 +  3  5
 ─────────
    7  5
```

```
 ┌──┬──┐
 └──┴──┘
 +  2  8
 ─────────
    9  3
```

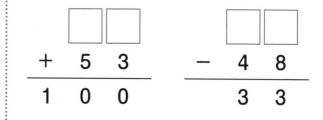

```
 ┌──┬──┐
 └──┴──┘
 +  5  3
 ─────────
 1  0  0
```

```
 ┌──┬──┐
 └──┴──┘
 −  4  8
 ─────────
    3  3
```

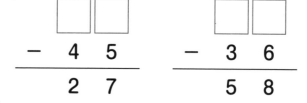

```
 ┌──┬──┐
 └──┴──┘
 −  4  5
 ─────────
    2  7
```

```
 ┌──┬──┐
 └──┴──┘
 −  3  6
 ─────────
    5  8
```

　完成时间：＿＿＿＿＿分钟　　　　家长／老师评一评：☆☆☆☆☆

75 100以内的加减法竖式（四）

```
    4   8              7   8
+ [ ] [ ]          + [ ] [ ]
─────────          ─────────
    8   8              9   9


    1   9              9   5
+ [ ] [ ]          − [ ] [ ]
─────────          ─────────
    7   4              3   7


    9   4              7   3
− [ ] [ ]          − [ ] [ ]
─────────          ─────────
    1   5              5   6
```

76 100以内数的分解（一）

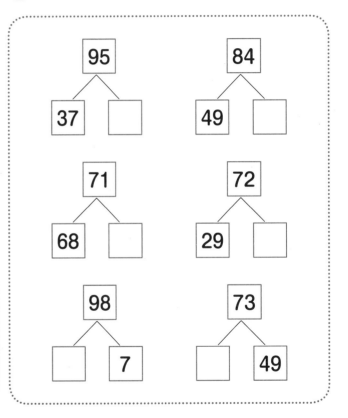

家长 / 老师评一评：☆ ☆ ☆ ☆ ☆　　　完成时间：_____ 分钟

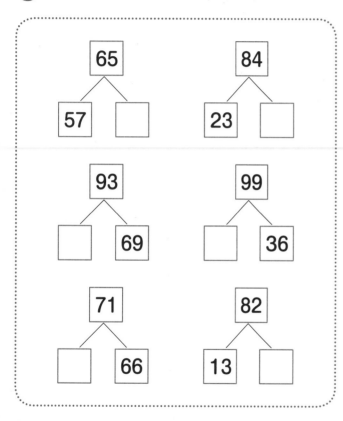

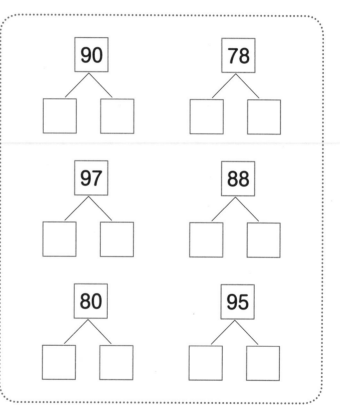

完成时间：_____分钟　　家长／老师评一评：☆☆☆☆☆

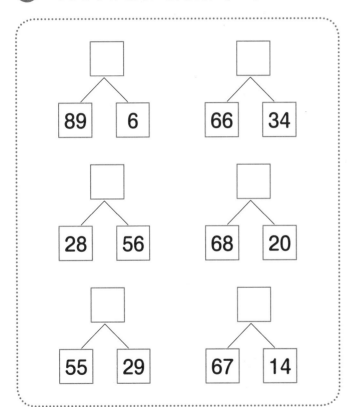

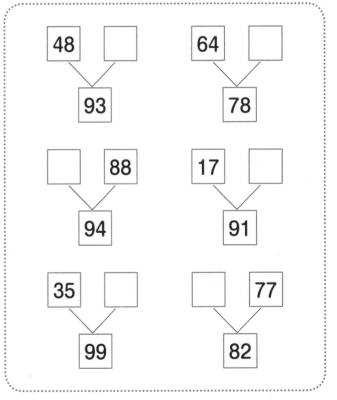

100以内数的组合（二）　　 100以内数的组合（三）

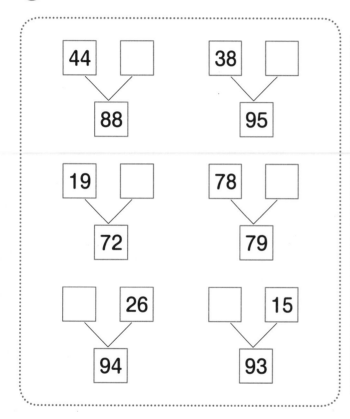

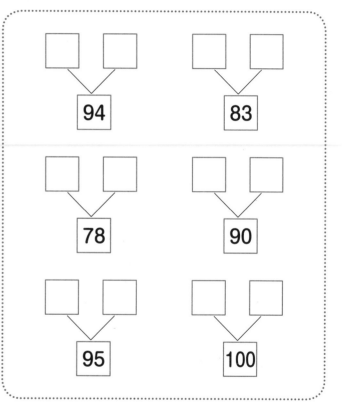

　　完成时间：＿＿＿＿＿分钟　　　家长／老师评一评：☆☆☆☆☆

83 100以内数的组合（四）

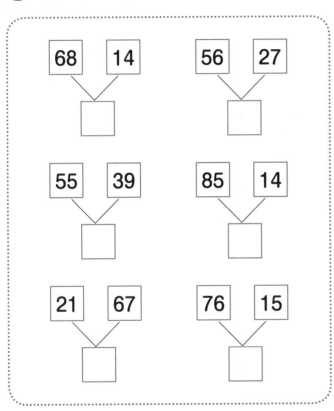

84 100以内数的分解与组合（一）

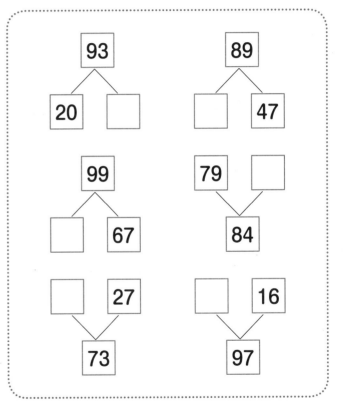

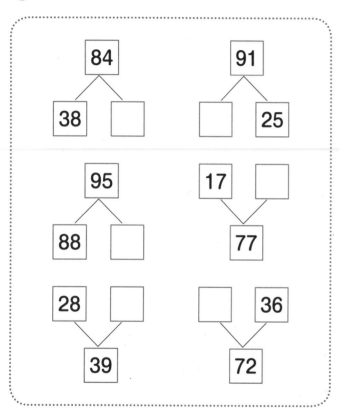

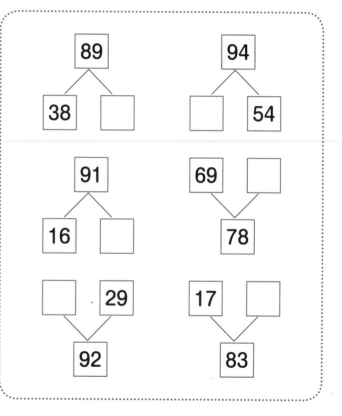

完成时间：_____分钟

家长 / 老师评一评：☆ ☆ ☆ ☆ ☆

87 100以内数的分解与组合（四）

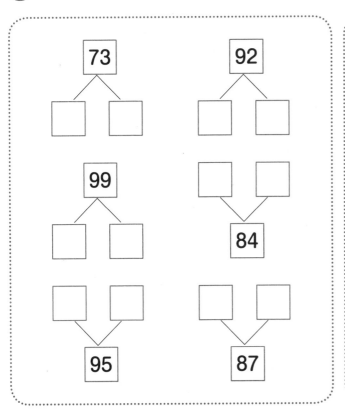

88 100以内的连加（一）

39 + 25 + 27 = （　　）

58 + 16 + 22 = （　　）

11 + 23 + 11 = （　　）

19 + 24 + 37 = （　　）

17 + 57 + 12 = （　　）

25 + 22 + 31 = （　　）

家长／老师评一评：☆☆☆☆☆　　　　完成时间：＿＿＿＿＿分钟　　　45

100以内的连加（二）　　　 100以内的连加（三）

$34 + 45 + 17 = ($ 　 $)$

$52 + 18 + 15 = ($ 　 $)$

$29 + 57 + 11 = ($ 　 $)$

$54 + 4 + 13 = ($ 　 $)$

$16 + 12 + 18 = ($ 　 $)$

$34 + 35 + 29 = ($ 　 $)$

$25 + 31 + 38 = ($ 　 $)$

$17 + 21 + 33 = ($ 　 $)$

$4 + 6 + 13 = ($ 　 $)$

$11 + 15 + 17 = ($ 　 $)$

$37 + 6 + 8 = ($ 　 $)$

$51 + 12 + 6 = ($ 　 $)$

　　　完成时间：＿＿＿＿＿分钟　　　家长／老师评一评：☆☆☆☆☆

91 100以内的连加（四）

(   ) + 46 + 13 = 95

15 + (   ) + 26 = 68

24 + 35 + (   ) = 73

(   ) + 33 + 31 = 82

19 + (   ) + 31 = 93

33 + 5 + (   ) = 81

92 100以内的连加（五）

(   ) + 36 + 13 = 66

26 + (   ) + 19 = 78

20 + 19 + (   ) = 75

(   ) + 26 + 22 = 84

17 + (   ) + 11 = 92

14 + 9 + (   ) = 93

家长 / 老师评一评：☆ ☆ ☆ ☆ ☆

完成时间：＿＿＿＿＿分钟

93 100以内的连减（一）

$97 - 17 - 3 = ($ $)$

$43 - 29 - 10 = ($ $)$

$85 - 15 - 20 = ($ $)$

$55 - 14 - 6 = ($ $)$

$71 - 3 - 35 = ($ $)$

$67 - 12 - 7 = ($ $)$

94 100以内的连减（二）

$95 - 25 - 16 = ($ $)$

$82 - 32 - 16 = ($ $)$

$76 - 15 - 32 = ($ $)$

$98 - 12 - 71 = ($ $)$

$35 - 16 - 3 = ($ $)$

$83 - 14 - 32 = ($ $)$

完成时间：＿＿＿＿＿分钟

家长／老师评一评：☆☆☆☆☆

$96 - 27 - 2 = ($ 　 $)$

$63 - 4 - 28 = ($ 　 $)$

$77 - 14 - 33 = ($ 　 $)$

$90 - 19 - 51 = ($ 　 $)$

$92 - 14 - 73 = ($ 　 $)$

$72 - 38 - 12 = ($ 　 $)$

$($ 　 $) - 16 - 34 = 25$

$95 - ($ 　 $) - 16 = 10$

$44 - 32 - ($ 　 $) = 7$

$($ 　 $) - 53 - 13 = 19$

$67 - ($ 　 $) - 52 = 3$

$49 - 29 - ($ 　 $) = 3$

家长 / 老师评一评：☆ ☆ ☆ ☆ ☆

完成时间：＿＿＿＿＿＿＿分钟

97 100以内的连减（五）

98 − (　　) − 39 = 23

(　　) − 68 − 3 = 17

89 − 33 − (　　) = 12

(　　) − 36 − 15 = 12

97 − (　　) − 13 = 46

66 − 34 − (　　) = 21

98 100以内的加减混合（一）

96 − 10 + 13 = (　　)

97 − 24 + 16 = (　　)

85 + 6 − 32 = (　　)

48 + 16 − 11 = (　　)

76 − 38 + 26 = (　　)

88 − 12 + 16 = (　　)

完成时间：_____分钟

家长／老师评一评：☆☆☆☆☆

100以内的加减混合（二）

85 + 13 − 31 = （　　）　　　（　　）− 32 + 15 = 45

44 + 51 − 17 = （　　）　　　83 − （　　）+ 17 = 40

79 − 16 + 24 = （　　）　　　30 + 42 − （　　）= 59

62 − 4 + 15 = （　　）　　　（　　）+ 52 − 20 = 63

55 + 36 − 13 = （　　）　　　92 − （　　）+ 10 = 52

58 + 19 − 25 = （　　）　　　46 + 34 − （　　）= 71

家长 / 老师评一评：☆☆☆☆☆　　　完成时间：_____分钟

⑩ 100以内的加减混合（三）

$(\quad) - 31 + 7 = 76$ $(\quad) + 38 - 23 = 75$

$55 - (\quad) + 23 = 28$ $27 + (\quad) - 4 = 38$

$52 + 22 - (\quad) = 17$ $23 - 6 + (\quad) = 95$

$(\quad) + 17 - 18 = 47$ $(\quad) - 13 + 32 = 81$

$83 - (\quad) + 13 = 38$ $40 + (\quad) - 29 = 17$

$100 - 77 + (\quad) = 32$ $32 + 55 - (\quad) = 79$

完成时间：_____分钟   家长／老师评一评：☆☆☆☆☆